とんかつ
食べのこされた
とんかつのはじっこ。
おにく1%、しぼう99%。

パン店長
『パン屋すみっコ』の店長。
パンを作ってるときはしんけんな顔。
まめマスターと友だちで、
おしゃべりが好き。

たぴおか
ミルクティーを先にのまれ
のこされてしまった。
自分にそっくりな?
パン生地が気になるみたい。

喫茶すみっコで いちごフェアのお手伝い。

むずかしさ

     とてもむずかしい

Strawberry Fair
・Pancakes
・Sandwiches
・Cakes
・Flavored Tea

喫茶すみっコ バイト募集中

喫茶すみっコ いちごフェア開催！

これも！

おそろい

できたよ

たべた…？

Strawberry Fair
・Pancakes
・Sandwiches
・Cakes
・Flavored Tea

喫茶すみっコ

open

しろくま
さむがりのしろくま。
お気に入りの
「喫茶すみっコ」のために
おてつだい。

まめマスター
「喫茶すみっコ」のマスター。
お店で初めての
いちごフェアが楽しみ。

ざっそう
いつかブーケにして
もらうという夢をもつ
ポジティブな草。

なかまもいっしょに お風呂でアワアワ。

むずかしさ

ふつう

ぺんぎん？
あこがれのおとまり会が
できてうれしい。

ぺんぎん（本物）
ぺんぎん？と
おそろいのパジャマ。

とんかつたちは「あげっコの会」を開くことに。

むずかしさ

かんたん

Sleepy

Neus

あげだま
ちいさなあげっコたち

zz...
そっ

たべてもらえます
ように…

からし

コロ

Good!

やめよう
たべのこし

Agemono nakama

あげ

あげ

えびふらいのしっぽ
&
あじふらいのしっぽ

えびふらいのしっぽ
かたいから
食べのこされた。
とんかつとは
こころつうじる友。

あじふらいのしっぽ
かたいから
食べのこされた。
のこることができてラッキーだと
思っているポジティブな性格。

あげだま
あじふらいのしっぽに
くっついてやってきた、
ちいさなあげっコたち。
たくさんいる。性格もいろいろ。

ある日 ぺんぎんと海で たのしくあそびました。

むずかしさ

ふつう

Shirokuma

Neko

Tonkatsu

Tokage

きれい…

Penguin?

おさかな…

うみねこ
魚をいっぱいたべて
まんまるな体。
水面ギリギリをとぶ。
ねこと気があう。

ひとで？
空からおちてきた。
ちょっと光る。
プライドが高い。

ひとで
海に住んでいる
ふつうのひとで。

やきあがったパンは すみっコたちに そっくり。

むずかしさ

　　　かんたん

まちがいのかず
13

しろくまパン	スミッシーパン	えびふらいの しっぽパン	あんパン	クロワッサン	コッペパン	ほこりパン
ふくろパン	しょくパン	ぺんぎん?パン	ふろしきパン	しろパン	とかげパン	えびふらいの しっぽパン
あんパン			ねこパン	とんかつパン	やまパン	ざっそうパン
あじふらいの しっぽパン	ぺんぎん?パン	メロンパン	とかげ (本物)パン	クリームパン	ぺんぎん (本物)パン	すずめパン
とかげ (本物)パン	おさかなパン	おばけパン	とんかつパン	にせつむりパン	ねこパン	あじふらいの しっぽパン
もぐらパン	たぴおかパン	たぴおかパン	たぴおかパン		ブラック たぴおかパン	メロンパン

すずめ
ただのすずめ。
おいしいパンを
ついばみにきた。

にせつむり
かたつむりのふりをした
じつはからを
かぶったなめくじ。

やま
ふじさんにあこがれている
ちいさい山。
ふじさんになりすましている。

生クリームを 泡立てたり いちごを かざりつけたり。

13

むずかしさ

むずかしい

SUMIKKOGURASHI™

Strawberry fair at
Kissa Sumikko

Strawberry Fair
·Pancakes
·Sandwiches
·Cakes
·Flavored Tea

とかげ
じつはきょうりゅうの
生きのこり。
おすすめのいちごメニューは
いかがですか？

おばけ
「喫茶すみっコ」で
バイト中のおばけ。
いちごフェアのじゅんびを
まかされて大いそがし。

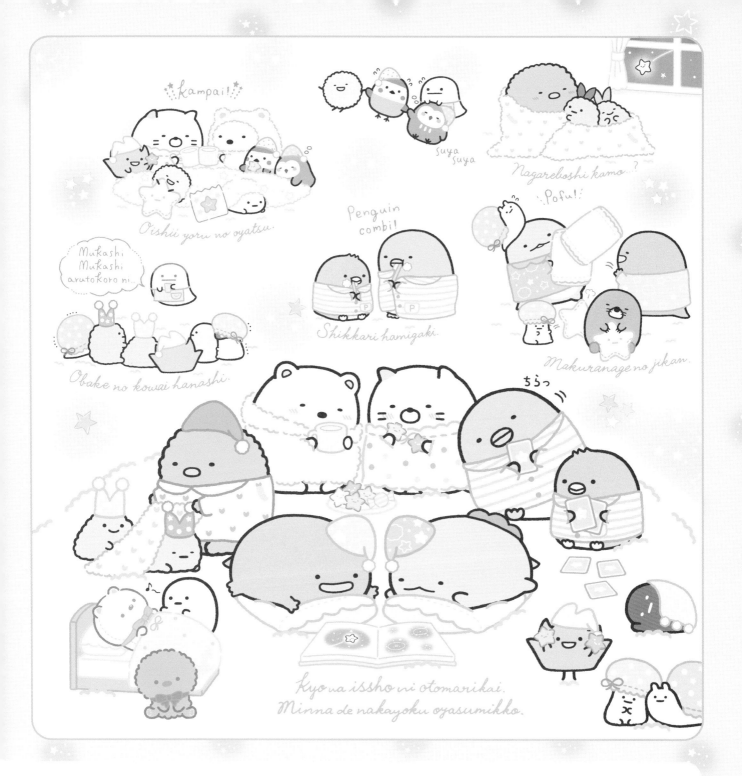

たくさんのなかまと　おうちでおとまり会。

むずかしさ

ふつう

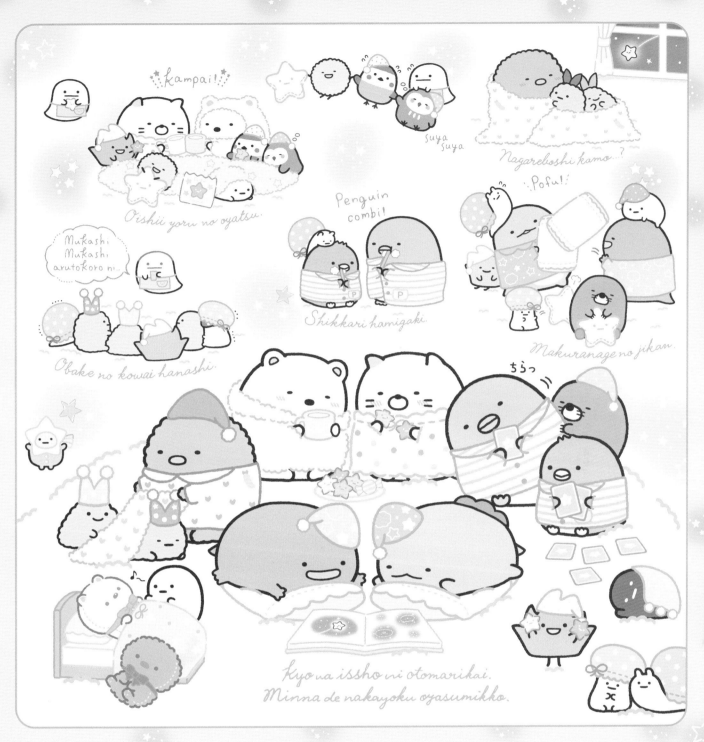

kampai!

Oishii yoru no oyatsu.

suya suya

Nagareboshi kamo..?

Mukashi Mukashi arutokoro ni...

Obake no kowai hanashi.

Penguin combi!

Shikkari hamigaki.

·Poful!·

Makuranage no jikan.

ちらっ

Kyo wa issho ni otomarikai.
Minna de nakayoku oyasumikko.

とかげ（本物）
とかげのともだち。
森でくらしている
本物のとかげ。
のんきな性格。

きのこ
カサがちいさいのを
気にしていて大きい
ナイトキャップを
かぶっている。

もぐら
地下のすみっこにひとりで
くらしていたもぐら。
くつしたをはいてみたら
いがいとフィットした。

きょうだいと たのしい ひとときをすごしました。

むずかしさ

かんたん

ねこ
はずかしがりやで
体型を気にしている。
きょうだいに出会えて
とてもうれしい。

ねこのきょうだい（グレー）
好奇心おうせいで
元気いっぱい。
ねこと同じくいしんぼう。

ねこのきょうだい（トラ）
いつも眠そうな顔で
のんびりしている。
やっぱりくいしんぼう。

なかよく たのしく いっしょに おやすみっコ。

むずかしさ

☆ ☆ ☆ ☆ ☆　　むずかしい

ふろしき
しろくまのにもつ。
すみっこのばしょとりや
さむい時に使われる。

ふくろう
すずめとなかよし。
いつも眠い。
森でくらしている。

ほこり
すみっこによくたまる
ふわふわした
のうてんきなやつら。

とんかつたちは「あげっコの会」を開くことに。

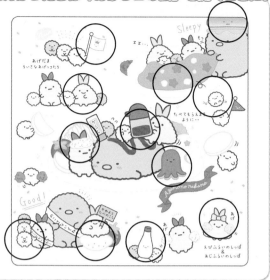

きょうはみんなですみっコパンきょうしつ。

ある日 ぺんぎんと海で たのしくあそびました。

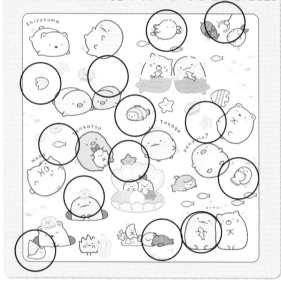

喫茶すみっコで いちごフェアのお手伝い。

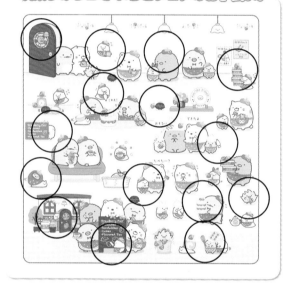

やきあがったパンは すみっコたちにそっくり。

なかまもいっしょに お風呂でアワアワ。

まちがいさがしのこたえ